S0-BKB-901

Pájaros urbanos

Primera edición, 2018

Coedición:
CIDCLI, S.C.
Secretaría de Cultura

Diseño gráfico, arte y color: Mauricio Gómez Morin
Coordinación editorial: Elisa Castellanos
Cuidado de la edición: Paola Aguirre

D.R. © 2018 CIDCLI, S.C.
Av. México No. 145-601,
Col. Del Carmen Coyoacán
C.P. 04100, Ciudad de México
www.cidcli.com

D.R. © 2018, de la presente edición,
Secretaría de Cultura
Dirección General de Publicaciones
Avenida Paseo de la Reforma 175,
Col. Cuauhtémoc, C.P. 06500,
Ciudad de México
www.cultura.gob.mx

ISBN: 978-607-8351-75-6, CIDCLI, S.C.
ISBN: 978-607-745-852-4, Secretaría de Cultura

Impreso en México / *Printed in México*

Para su composición se utilizaron las tipografías
Cool Dots por Desiree Chubb y DJB It's Full of Dots por Darcy Baldwin

Pájaros urbanos
se imprimió en agosto de 2018 en los talleres de Quad Graphics,
Duraznos No. 1, esquina Ejido, Col. Las Peritas
Tepepan, Del. Xochimilco, Ciudad de México.
El tiraje fue de 2 000 ejemplares

PÁJAROS URBANOS

Antonio Castellanos Basich
Idea, textos y dibujos

Mauricio Gómez Morin
Colorista

Este pájaro, de enorme rapidez, se ha vuelto imprescindible en las avenidas de la ciudad, pues en cuestión de segundos limpia aquello que otros pájaros urbanos dejan estampado en los parabrisas. Los conductores, a regañadientes, pagan el servicio con unas monedas, sin comprender lo necesario de su trabajo. En parte tienen razón, pues llegando al semáforo siguiente aparece otro de los miles de avebrisas ofreciendo el mismo servicio.

Avebrisas

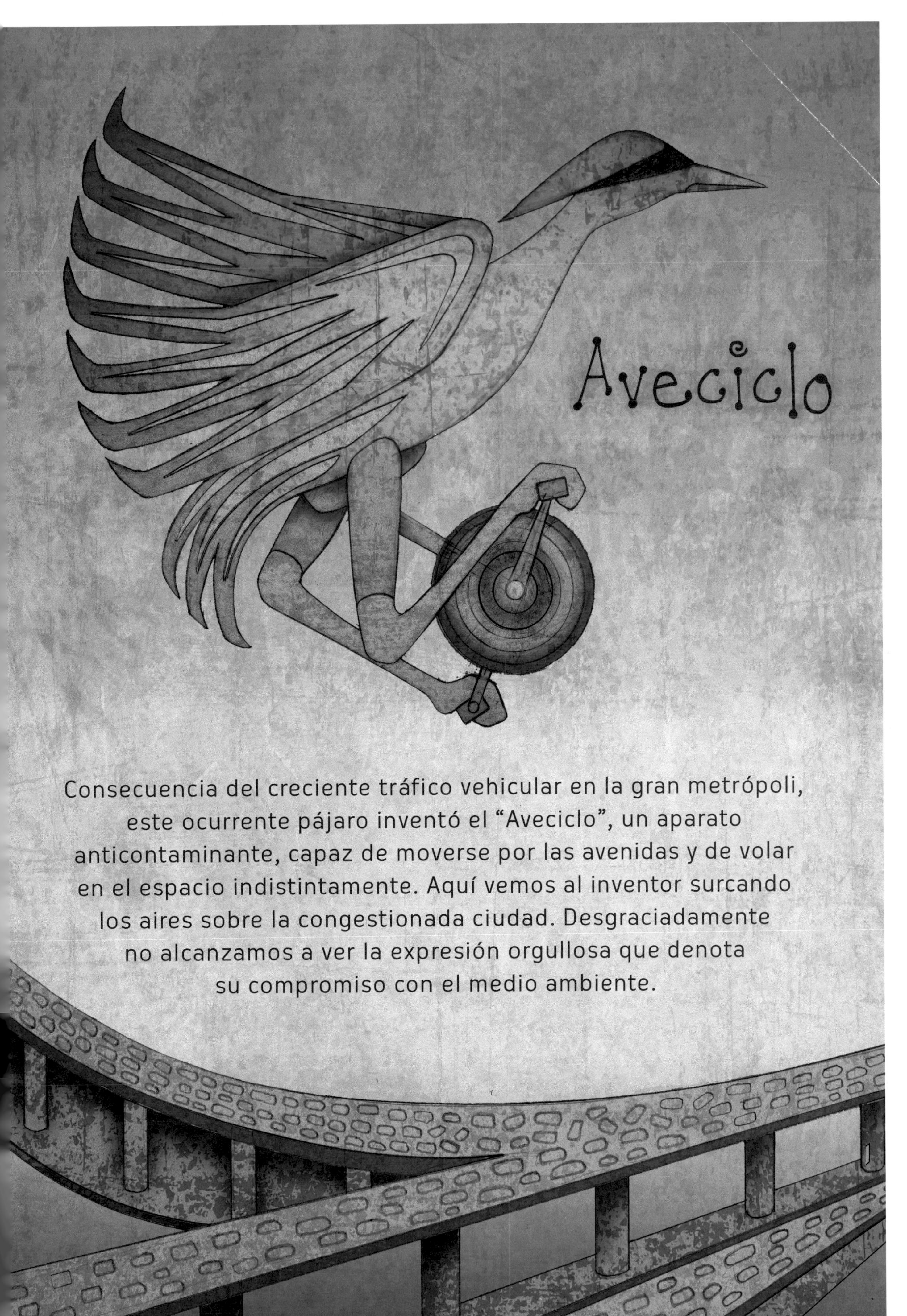

Aveciclo

Consecuencia del creciente tráfico vehicular en la gran metrópoli, este ocurrente pájaro inventó el “Aveciclo”, un aparato anticontaminante, capaz de moverse por las avenidas y de volar en el espacio indistintamente. Aquí vemos al inventor surcando los aires sobre la congestionada ciudad. Desgraciadamente no alcanzamos a ver la expresión orgullosa que denota su compromiso con el medio ambiente.

Pájaro contorsionista

Llamado así por su extraordinaria flexibilidad que, según los ornitólogos, se debe a que su estructura ósea se ha ido transformando en algo similar al chicle, golosina industrial que masca incansablemente y traga por desconocimiento. Este ejemplar realiza sus contorsiones en la Alameda de la ciudad para que la multitud disfrute de su acto y le remunere con más goma. Es tanta su maleabilidad que por momentos no se entiende dónde está su cabeza.

Ave exótica

Esta ave excepcional encontró la manera de ganarse la vida distrayendo a los aburridos automovilistas en los cruceros de las avenidas, danzando exóticamente y mostrando su espectacular y colorido plumaje. En los tres minutos que el semáforo cambia de alto a siga, ejecuta movimientos aéreos que ningún bailarín ha logrado realizar jamás y, de volada, recoge el dinero bien ganado del asombrado público.

Pájaro intrépido

Este asombroso y esforzado pájaro ha desarrollado la capacidad de limpiar los vidrios de los enormes rascacielos de la ciudad sin la necesidad de andamios ni poleas. Para los inquilinos de estos lujosos departamentos se ha convertido en un ave imprescindible, pues gracias a su eficiente trabajo descubren que el esmog de la gran urbe apenas les permite una visión más allá de sus narices.

Este ejemplar poco apreciado es, quizás, el pájaro más importante y útil de la ciudad. Su servicio consiste en limpiar a diario la basura que con descaro, ciudadanos descuidados, arrojan por parques y calles continuamente. Aquí lo vemos saludando con su moderno equipo, dando ejemplo de eficacia, pulcritud y amor a la patria.

Pájaro recolector

Pájaro truhán

Muchos pájaros creen que por ser urbanos son civilizados y de buen comportamiento, desgraciadamente no es así, también los hay maloras que se han avezado a la vida de la ciudad como ladrones y pillos. Aquí observamos infraganti a un cínico pajarraco, en el vagón del metro, "volándole" la billetera a una tortolita distraída.

Pájaro vulgar

A este pájaro holgazán se le distingue por su característico sonido que resuena a algo similar a un *fiu fiu*. El avechucho suele pasar la noche echado en una ventana chiflando a las muchachas que pasan. Es el único pájaro urbano que en su nombre científico lleva también el vulgar: *Avis vulgaris*.

Ave oficinista

Adaptadas a las oficinas de la industriosa e infatigable ciudad, algunas aves han sufrido cambios físicos dignos de atender, tal es el caso de la chichicuilota, que solía habitar el extinto lago de Texcoco. Aquella ave delgada y de gráciles movimientos, cambió su ancestral y balanceada dieta por una con más "chispa", aumentado notablemente el volumen de muslos y pechugas. No obstante la alteración alimentaria, aún conserva su encanto natural, como bien se puede apreciar en esta lámina.

Algunos pájaros se han tenido que adaptar a trabajos irrisorios, como es el caso de esta águila pedante, otrora emblema de la urbe y ahora convertida en una fanática porrista de un equipo de futbol. Esta jocosa mascota hace su chamba en el estadio, alentando a la porra con sus peligrosas cachiporras con banderín, presumiendo ser la dueña de todas las pelotas y campeona del mundo.

Mascota porrista

Debido a su enorme facultad como artista, las autoridades de la ciudad han dado a este pájaro el encargo de realizar un monumento en el Paseo de la Reforma. Aquí lo podemos observar esculpiendo lo que podría ser su obra maestra dedicada a las aves ilustres del país. Nótese el extraordinario realismo de su trabajo.

Pájaro escultor

Ave notable y desvelada que pasa noches enteras proyectando las enormes pajareras que tanta falta hacen en la ciudad, para los millones de pájaros que no cuentan con habitaciones dignas donde descansar y anidar. Como dato curioso, prefiere trabajar en la obscuridad pues puede ver sus ideas y hermosos diseños arquitectónicos contrastados con el negro de la noche.

Pájaro arquitecto

Ave pípiris nais

Algunas aves se han adaptado perfectamente a la sociedad aristocrática de la ciudad, como podemos apreciar en esta imagen de la que antes fuera la común Ave zancuda, originaria de los ya desaparecidos pantanos. Ahora la vemos cómodamente asentada en los prósperos restaurantes de la colonia Polanco, donde la conocen como “La Pípiris nais”.

Avedrón

Esta ave conocida vulgarmente como "pájaro metiche" es el resultado de la clonación de un pájaro natural y la tecnología humana. Este engendro ornitológico se ha convertido en una verdadera plaga para la ciudad. Sus estupendas cualidades de vuelo y sus ojos telescópicos de gran profundidad visual le permiten situarse en el mejor lugar para observar las interesantes vidas ajenas. Aquí vemos a esta zumbadora ave metiéndose y, quizás hasta grabando, la vida de algunos vecinos.

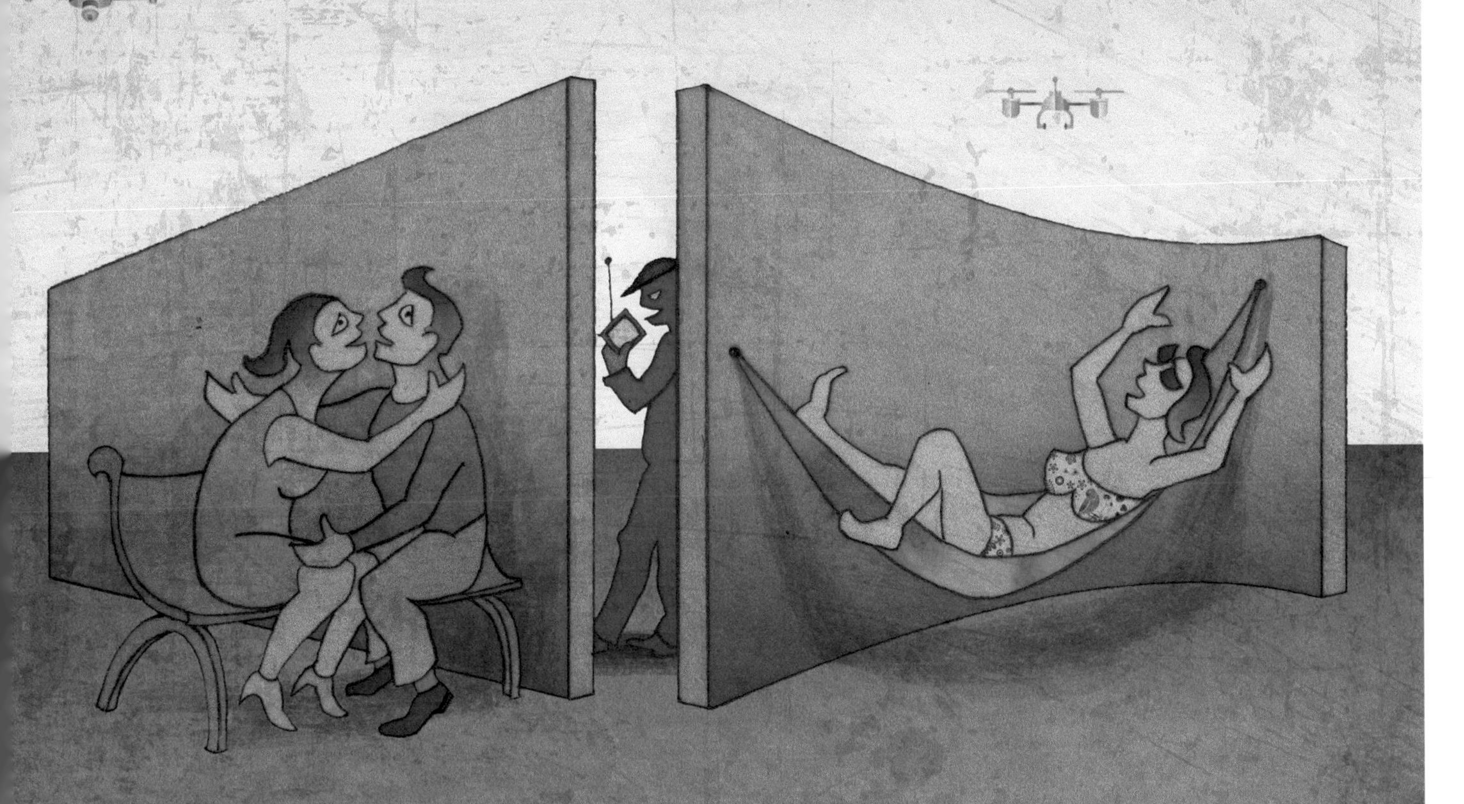

Tecolote Viene-viene

Este responsable pájaro se ha dado a la tarea de dirigir el tráfico aéreo sobre la ciudad disipando los habituales y molestos congestionamientos. Asume el riesgo que significa trabajar desde lo alto de las antenas de los rascacielos y demuestra su compromiso evitando los posibles accidentes de altos vuelos.

A consecuencia del intenso tráfico aéreo sobre la megalópolis, las parvadas de aves migratorias perdieron su capacidad de volar. Las pocas que quedan actualmente han tenido que adaptarse a las comodidades de la vida moderna y ahora viajan en avión. Aquí vemos a una de ellas a punto de abordar el pájaro de acero y realizar su largo viaje hacia su destino migratorio.
PORTE
MEX
Pájaro turista

Este pato, antes migratorio y oriundo del desaparecido lago de Xochimilco, se aferra al último canal que queda de su hábitat original. Día y noche, en ocasiones alegre, en otras nostálgico, presta sus servicios de transportación a los miles de turistas que en vacaciones visitan aquel exparaíso chinampero.

Pájaro trajinero

Por su condición de cantantes naturales, estos pájaros se han adaptado espléndidamente al medio musical, como lo atestigua esta imagen en que se les ve alegres y espontáneos, en pleno jolgorio de la Plaza Garibaldi, donde no hay mariachi que se les compare en serenatas, boleros y palomazos. Cuando este dúo de aves se presenta por las noches, se desata la fiesta en el barrio y dura hasta que canta el gallo.

Loros tropicales

Pájaro encopetado

Llamado así porque gusta de beber vino volando sobre las copas que se ofrecen en las cantinas. Los ornitólogos aseguran que su adicción a las bebidas embriagantes es consecuencia de la imitación a los parroquianos en un ambiente de fiesta. Tristemente, después de varias copas pierde el estilo y el equilibrio, y cae desbaratando su impecable copete.

Pájaro filósofo

Llamado así por su persistente actitud reflexiva al empollar un huevo. Se cree que esta forma de actuar está relacionada con el inquietante enigma: “¿Qué fue primero, la gallina o el huevo?”. A este único ejemplar se le encuentra por las tardes en una escalinata del campus de la universidad. En ocasiones, una gallina vulgar aprovecha su inmovilidad para ella misma empollar un huevo sobre su cabeza.

Llamado así por su actitud elocuente y persistente cacareo al mover su lengua larga. Se cree que estos sonidos los emite para llamar la atención de los ciudadanos, sin percatarse jamás de que éstos, al escucharlo, se van durmiendo poco a poco con la monótona cantaleta, dejándolo solo en el Zócalo de la enorme ciudad. Como dato curioso, este cotorro siempre lleva un huevo en el ala. Los ornitólogos no han descubierto la utilidad de este hábito.

Pájaros manifestantes

Algunos pájaros inconformes por la falta de bienestar social, marchan para expresar su descontento en las calles de la gran urbe, con el fin de ser escuchados en sus justas demandas. Aquí vemos a la avanzada de la parvada enarbolando sus exigencias.

Pájaro dibujante y Ave colorista

Antonio Castellanos Basich, el pájaro dibujante, nace en la gran Ciudad de México, en 1946. Su papá fue el pintor Julio Castellanos, de quien apenas recuerda su imagen, pues voló a las estrellas antes de que pudiera saltar de la cuna para platicar con él. En su ausencia, le deja su casa-estudio, su obra y sus libros, que aún lo acompañan. Su mamá, Zita Basich, hábil dibujante, le enseña el manejo del lápiz y papel, y le abre los ojos y los libros para que descubra el arte.

Ligado al jardín de su casa y a los llanos del sur de una ciudad sin construcciones, desde niño se interesa en la naturaleza, en los volcanes Popocatépetl e Iztaccíhuatl, en los animales que ve y escucha: liebres, coyotes, víboras, ranas, zopilotes girando entre las nubes y miles de parvadas de pájaros entre los gigantescos árboles.

Con el tiempo descubre la escultura de su padrastro, Federico Canessi, quien se convierte en su figura paterna y le abre la puerta de su taller donde hace sus pininos en barro, acompañado de escultores, yeseros y canteros que le enseñan el oficio.

En las fiestas de su casa, entre filósofos, políticos, arquitectos, escritores, actrices, doctores y hasta payasos chiflados, aprende a vivir la vida con responsable alegría.

Ahora, en su edad madura dibuja con buen humor animales y pájaros urbanos, descendientes de aquellas aves silvestres que vivieron en los otrora llanos en los que se asientan las actuales y gigantescas colonias de la ciudad. Y está cierto que si de niño fue feliz en aquellas llanuras, será inevitablemente un viejo alegre en donde se respete el medio ambiente.

Mauricio Gómez Morin, el ave colorista, nace en la muy noble y ajada Ciudad de México, en 1956. Se inicia en las artes como todos, rayando paredes y pupitres. En 1977, ingresa a estudiar grabado al Molino de Santo Domingo y luego al legendario Taller de Gráfica Popular. Después de fallidos intentos en carreras liberales, se decide a estudiar en la Escuela Nacional de Pintura y Escultura “La Esmeralda”.

Fue miembro fundador del colectivo plástico Germinal con quienes pinta montonal de mantas y murales. Trabajó en la Licenciatura de Diseño Trágico de la Universidad Autónoma Metropolitana (Xochimilco) dando clases de dibujo, ilustración, grabado y donde también fundó el Taller de Gráfica Monumental.

Ha realizado 15 exposiciones individuales y más de 30 colectivas. Además se ha dedicado al diseño editorial, al muralismo callejero, la escenografía y la museografía. Ha trabajado como ilustrador en los periódicos *La Jornada*, *Reforma*, *Excélsior* y las revistas *Letras Libres* y *Este País*.

Desde hace 35 años, su verdadera vocación, su pasion principal es la ilustración de libros infantiles y juveniles; tiene 56 libros publicados. Fue Director de arte de las colecciones infantiles del Fondo de Cultura Económica. Entre sus principales influencias y fusiles se encuentran José Guadalupe Posada, Jóse Clemente Orozco, Saul Steinberg, el *Chamaco* Covarrubias, los pintores de exvotos y los rotulistas populares.

Cansado del ajetreo urbano, migra a las faldas del Tepozteco donde hoy vive feliz y cuida de dos gansos, *Plumero* y *Plumita*, junto a su padre adoptivo el pato *Margarito*.